DIESES FREUNDEBUCH GEHÖRT:

....

FÜR MEINE FREUNDE

DIESES BUCH GEHÖRT: ....

MEIN SPITZNAME: ....

MEIN GEBURTSTAG: ....

MEIN STERNZEICHEN: ....

MEINE HAARFARBE: ....

MEINE AUGENFARBE: ....

Bitte ein Bild einkleben

SORGEN FRESSER

Diesem Sorgenfresser vertraue ich mich an, wenn ich

mal traurig bin: ....

Meine Hobbys: ....

Mein liebster Gute-Laune-Song: ....

Ich lese am liebsten: ....

Ich esse am liebsten: ....

Meine Lieblingstiere: ....

Das finde ich total cool: ....

Das mag ich überhaupt nicht: ....

Für einen Besuch im Sorgenfresserland würde ich

mitnehmen: ....

Mein schönstes Erlebnis: --

Zum Glück fressen Sorgenfresser auch Peinliche-
Momente-Sorgen, denn mein doofstes Erlebnis war:

Was ich später gerne werden möchte: ----------------------------

Hier noch eine Zeichnung für meine Freunde:

FÜR MEINE FREUNDE

MEINE ADRESSE: ....

....

....

TELEFON: ....

HANDY: ....

E-MAIL: ....

AUSGEFÜLLT AM

AUSGEFÜLLT AM

MEIN NAME: ....

MEIN SPITZNAME: ....

MEIN GEBURTSTAG: ....

MEIN STERNZEICHEN: ....

MEINE HAARFARBE: ....

MEINE AUGENFARBE: ....

Bitte ein Bild einkleben

BIFF

ICH ♥ SORGEN

Meine Hobbys: --

Mein liebster Gute-Laune-Song: -----------------------------

Ich lese am liebsten: ---

Ich esse am liebsten: ---

Mein Lieblingssport: --

Meine Lieblingstiere: ---

Das finde ich total cool: -------------------------------------

Das mag ich überhaupt nicht: -------------------------------

Was ich später gerne werden möchte: ---------------------

Mein schönstes Erlebnis: _____

_____

Zum Glück fressen Sorgenfresser auch Peinliche-
Momente-Sorgen, denn mein doofstes Erlebnis war:

_____

Ich wünsche dir für die Zukunft: _____

Hier noch eine Zeichnung für dich:

MEINE ADRESSE: ....

....

....

TELEFON: ....

HANDY: ....

E-MAIL: ....

AUSGEFÜLLT AM

MEIN NAME: ....

MEIN SPITZNAME: ....

MEIN GEBURTSTAG: ....

MEIN STERNZEICHEN: ....

MEINE HAARFARBE: ....

MEINE AUGENFARBE: ....

GERD HAHNS

SORGEN FRESSER

Bitte ein Bild einkleben

BETTI

Meine Hobbys: --

Mein liebster Gute-Laune-Song: ------------------------

Ich lese am liebsten: ----------------------------------

Ich esse am liebsten: ----------------------------------

Mein Lieblingssport: -----------------------------------

Meine Lieblingstiere: ----------------------------------

Das finde ich total cool: ------------------------------

Das mag ich überhaupt nicht: --------------------------

Was ich später gerne werden möchte: ------------------

Mein schönstes Erlebnis: _____

_____

Zum Glück fressen Sorgenfresser auch Peinliche-
Momente-Sorgen, denn mein doofstes Erlebnis war:

_____

Ich wünsche dir für die Zukunft: _____

Hier noch eine Zeichnung für dich:

MEINE ADRESSE: ....

....

....

TELEFON: ....

HANDY: ....

E-MAIL: ....

AUSGEFÜLLT AM

AUSGEFÜLLT AM

MEIN NAME: ....

MEIN SPITZNAME: ....

MEIN GEBURTSTAG: ....

MEIN STERNZEICHEN: ....

MEINE HAARFARBE: ....

MEINE AUGENFARBE: ....

ENNO

Bitte ein Bild einkleben

SORGEN FRESSER

GERD HAHN

Meine Hobbys: _____

Mein liebster Gute-Laune-Song: _____

Ich lese am liebsten: _____

Ich esse am liebsten: _____

Mein Lieblingssport: _____

Meine Lieblingstiere: _____

Das finde ich total cool: _____

Das mag ich überhaupt nicht: _____

Was ich später gerne werden möchte: _____

Mein schönstes Erlebnis: ------------------------------

Zum Glück fressen Sorgenfresser auch Peinliche-
Momente-Sorgen, denn mein doofstes Erlebnis war:

Ich wünsche dir für die Zukunft: ----------------------

Hier noch eine Zeichnung für dich:

MEINE ADRESSE: ....

....

....

TELEFON: ....

HANDY: ....

E-MAIL: ....

AUSGEFÜLLT AM

AUSGEFÜLLT AM

FÜR DICH

MEIN NAME: ....

MEIN SPITZNAME: ....

MEIN GEBURTSTAG: ....

MEIN STERNZEICHEN: ....

MEINE HAARFARBE: ....

MEINE AUGENFARBE: ....

Bitte ein Bild einkleben

SEPP

Meine Hobbys: --

Mein liebster Gute-Laune-Song: ----------------------

Ich lese am liebsten: -------------------------------

Ich esse am liebsten: -------------------------------

Mein Lieblingssport: --------------------------------

Meine Lieblingstiere: -------------------------------

Das finde ich total cool: ---------------------------

Das mag ich überhaupt nicht: ------------------------

Was ich später gerne werden möchte: ----------------

Mein schönstes Erlebnis: --

Zum Glück fressen Sorgenfresser auch Peinliche-

Momente-Sorgen, denn mein doofstes Erlebnis war:

Ich wünsche dir für die Zukunft: ------------------------

Hier noch eine Zeichnung für dich:

MEINE ADRESSE: ....

....

....

TELEFON: ....

HANDY: ....

E-MAIL: ....

AUSGEFÜLLT AM

AUSGEFÜLLT AM

FÜR DICH

MEIN NAME: ....

MEIN SPITZNAME: ....

MEIN GEBURTSTAG: ....

MEIN STERNZEICHEN: ....

MEINE HAARFARBE: ....

MEINE AUGENFARBE: ....

Bitte ein Bild einkleben

FRULA

Meine Hobbys: --

Mein liebster Gute-Laune-Song: -----------------

Ich lese am liebsten: ----------------------------------

Ich esse am liebsten: ----------------------------------

Mein lieblingssport: ---------------------------------

Meine Lieblingstiere: --------------------------------

Das finde ich total cool: --------------------------

Das mag ich überhaupt nicht: --------------------

Was ich später gerne werden möchte: ----------

Mein schönstes Erlebnis: ----------------------------------

Zum Glück fressen Sorgenfresser auch Peinliche-
Momente-Sorgen, denn mein doofstes Erlebnis war:

Ich wünsche dir für die Zukunft: -------------------------------

Hier noch eine Zeichnung für dich:

MEINE ADRESSE: ....

....

....

TELEFON: ....

HANDY: ....

E-MAIL: ....

MEIN NAME: ....

MEIN SPITZNAME: ....

MEIN GEBURTSTAG: ....

MEIN STERNZEICHEN: ....

MEINE HAARFARBE: ....

MEINE AUGENFARBE: ....

FLINT

Bitte ein Bild einkleben

Meine Hobbys: ---

Mein liebster Gute-Laune-Song: ------------------

Ich lese am liebsten: -------------------------------

Ich esse am liebsten: -------------------------------

Mein Lieblingssport: --------------------------------

Meine Lieblingstiere: -------------------------------

Das finde ich total cool: --------------------------

Das mag ich überhaupt nicht: ---------------------

Was ich später gerne werden möchte: -----------

Mein schönstes Erlebnis: _____

_____

Zum Glück fressen Sorgenfresser auch Peinliche-
Momente-Sorgen, denn mein doofstes Erlebnis war:

_____

Ich wünsche dir für die Zukunft: _____

Hier noch eine Zeichnung für dich:

MEINE ADRESSE: ....

....

....

TELEFON: ....

HANDY: ....

E-MAIL: ....

MEIN NAME: ....

MEIN SPITZNAME: ....

MEIN GEBURTSTAG: ....

MEIN STERNZEICHEN: ....

MEINE HAARFARBE: ....

MEINE AUGENFARBE: ....

SCHNULLI

Bitte ein Bild einkleben

Meine Hobbys: ---

Mein liebster Gute-Laune-Song: -----------------------

Ich lese am liebsten: --------------------------------

Ich esse am liebsten: --------------------------------

Mein Lieblingssport: ---------------------------------

Meine Lieblingstiere: --------------------------------

Das finde ich total cool: ----------------------------

Das mag ich überhaupt nicht: -------------------------

Was ich später gerne werden möchte: -----------------

Mein schönstes Erlebnis: --

Zum Glück fressen Sorgenfresser auch Peinliche-
Momente-Sorgen, denn mein doofstes Erlebnis war:

Ich wünsche dir für die Zukunft: --

Hier noch eine Zeichnung für dich:

MEINE ADRESSE: ....

....

....

TELEFON: ....

HANDY: ....

E-MAIL: ....

FÜR DICH

AUSGEFÜLLT AM

AUSGEFÜLLT AM

MEIN NAME: ....

MEIN SPITZNAME: ....

MEIN GEBURTSTAG: ....

MEIN STERNZEICHEN: ....

MEINE HAARFARBE: ....

MEINE AUGENFARBE: ....

SACCO

Bitte ein Bild einkleben

SORGEN FRESSER
GERD HAHNS

Meine Hobbys: ----------------------------------

Mein liebster Gute-Laune-Song: ------------------

Ich lese am liebsten: ---------------------------

Ich esse am liebsten: ---------------------------

Mein Lieblingssport: ----------------------------

Meine Lieblingstiere: ---------------------------

Das finde ich total cool: -----------------------

Das mag ich überhaupt nicht: --------------------

Was ich später gerne werden möchte: ------------

Mein schönstes Erlebnis: -------------------------------------

Zum Glück fressen Sorgenfresser auch Peinliche-
Momente-Sorgen, denn mein doofstes Erlebnis war:

Ich wünsche dir für die Zukunft: -------------------------------------

Hier noch eine Zeichnung für dich:

MEINE ADRESSE: ....

....

....

TELEFON: ....

HANDY: ....

E-MAIL: ....

FÜR DICH

AUSGEFÜLLT AM

AUSGEFÜLLT AM

MEIN NAME: ....

MEIN SPITZNAME: ....

MEIN GEBURTSTAG: ....

MEIN STERNZEICHEN: ....

MEINE HAARFARBE: ....

MEINE AUGENFARBE: ....

Bitte ein Bild einkleben

ERNST

Meine Hobbys: ---

Mein liebster Gute-Laune-Song: --------------------

Ich lese am liebsten: ----------------------------------

Ich esse am liebsten: ----------------------------------

Mein Lieblingssport: ----------------------------------

Meine Lieblingstiere: ---------------------------------

Das finde ich total cool: ----------------------------

Das mag ich überhaupt nicht: ---------------------

Was ich später gerne werden möchte: -----------

Mein schönstes Erlebnis: --

Zum Glück fressen Sorgenfresser auch Peinliche-
Momente-Sorgen, denn mein doofstes Erlebnis war:

Ich wünsche dir für die Zukunft: --

Hier noch eine Zeichnung für dich:

MEINE ADRESSE: ....

....

....

TELEFON: ....

HANDY: ....

E-MAIL: ....

FÜR DICH

AUSGEFÜLLT AM

MEIN NAME: ....

MEIN SPITZNAME: ....

MEIN GEBURTSTAG: ....

MEIN STERNZEICHEN: ....

MEINE HAARFARBE: ....

MEINE AUGENFARBE: ....

Meine Hobbys: _____

Mein liebster Gute-Laune-Song: _____

Ich lese am liebsten: _____

Ich esse am liebsten: _____

Mein Lieblingssport: _____

Meine Lieblingstiere: _____

Das finde ich total cool: _____

Das mag ich überhaupt nicht: _____

Was ich später gerne werden möchte: _____

Mein schönstes Erlebnis: _____
_____

Zum Glück fressen Sorgenfresser auch Peinliche-
Momente-Sorgen, denn mein doofstes Erlebnis war:
_____

Ich wünsche dir für die Zukunft: _____

Hier noch eine Zeichnung für dich:

MEINE ADRESSE ....

....

....

TELEFON ....

HANDY ....

E-MAIL ....

AUSGEFÜLLT AM

FÜR DICH

MEIN NAME: ....

MEIN SPITZNAME: ....

MEIN GEBURTSTAG: ....

MEIN STERNZEICHEN: ....

MEINE HAARFARBE: ....

MEINE AUGENFARBE: ....

Bitte ein Bild einkleben

BILL

Meine Hobbys: --

Mein liebster Gute-Laune-Song: ------------------------------

Ich lese am liebsten: ---

Ich esse am liebsten: ---

Mein Lieblingssport: --

Meine Lieblingstiere: ---

Das finde ich total cool: --

Das mag ich überhaupt nicht: ------------------------------------

Was ich später gerne werden möchte: --------------------------

Mein schönstes Erlebnis: _____

_____

Zum Glück fressen Sorgenfresser auch Peinliche-
Momente-Sorgen, denn mein doofstes Erlebnis war:

_____

Ich wünsche dir für die Zukunft: _____

Hier noch eine Zeichnung für dich:

MEINE ADRESSE: ....

....

....

TELEFON: ....

HANDY: ....

E-MAIL: ....

FÜR DICH

AUSGEFÜLLT AM
AUSGEFÜLLT AM

MEIN NAME: ....

MEIN SPITZNAME: ....

MEIN GEBURTSTAG: ....

MEIN STERNZEICHEN: ....

MEINE HAARFARBE: ....

MEINE AUGENFARBE: ....

Bitte ein Bild einkleben

Meine Hobbys: _____

Mein liebster Gute-Laune-Song: _____

Ich lese am liebsten: _____

Ich esse am liebsten: _____

Mein Lieblingssport: _____

Meine Lieblingstiere: _____

Das finde ich total cool: _____

Das mag ich überhaupt nicht: _____

Was ich später gerne werden möchte: _____

Mein schönstes Erlebnis: _____

_____

Zum Glück fressen Sorgenfresser auch Peinliche-
Momente-Sorgen, denn mein doofstes Erlebnis war:

_____

Ich wünsche dir für die Zukunft: _____

Hier noch eine Zeichnung für dich:

MEINE ADRESSE: ....

....

....

TELEFON: ....

HANDY: ....

E-MAIL: ....

AUSGEFÜLLT AM
AUSGEFÜLLT AM

MEIN NAME: ....

MEIN SPITZNAME: ....

MEIN GEBURTSTAG: ....

MEIN STERNZEICHEN: ....

MEINE HAARFARBE: ....

MEINE AUGENFARBE: ....

Bitte ein Bild einkleben

OM

Meine Hobbys: -------------------------------------

Mein liebster Gute-Laune-Song: ------------------

Ich lese am liebsten: -----------------------------

Ich esse am liebsten: -----------------------------

Mein Lieblingssport: ------------------------------

Meine Lieblingstiere: -----------------------------

Das finde ich total cool: -------------------------

Das mag ich überhaupt nicht: --------------------

Was ich später gerne werden möchte: -----------

Mein schönstes Erlebnis: _____

_____

Zum Glück fressen Sorgenfresser auch Peinliche-
Momente-Sorgen, denn mein doofstes Erlebnis war:

_____

Ich wünsche dir für die Zukunft: _____

Hier noch eine Zeichnung für dich:

MEINE ADRESSE: ....

....

....

TELEFON: ....

HANDY: ....

E-MAIL: ....

AUSGEFÜLLT AM

FÜR DICH

MEIN NAME: ....

MEIN SPITZNAME: ....

MEIN GEBURTSTAG: ....

MEIN STERNZEICHEN: ....

MEINE HAARFARBE: ....

MEINE AUGENFARBE: ....

RUMPEL

Meine Hobbys: ....

Mein liebster Gute-Laune-Song: ....

Ich lese am liebsten: ....

Ich esse am liebsten: ....

Mein Lieblingssport: ....

Meine Lieblingstiere: ....

Das finde ich total cool: ....

Das mag ich überhaupt nicht: ....

Was ich später gerne werden möchte: ....

Mein schönstes Erlebnis: ---

Zum Glück fressen Sorgenfresser auch Peinliche-
Momente-Sorgen, denn mein doofstes Erlebnis war:

Ich wünsche dir für die Zukunft: ------------------------------------

Hier noch eine Zeichnung für dich:

MEINE ADRESSE: ....

....

....

TELEFON: ....

HANDY: ....

E-MAIL: ....

AUSGEFÜLLT AM

AUSGEFÜLLT AM

MEIN NAME: ....

MEIN SPITZNAME: ....

MEIN GEBURTSTAG: ....

MEIN STERNZEICHEN: ....

MEINE HAARFARBE: ....

MEINE AUGENFARBE: ....

GUMP

Bitte ein Bild einkleben

GERD HAHNS
SORGEN FRESSER

Meine Hobbys: _____

Mein liebster Gute-Laune-Song: _____

Ich lese am liebsten: _____

Ich esse am liebsten: _____

Mein Lieblingssport: _____

Meine Lieblingstiere: _____

Das finde ich total cool: _____

Das mag ich überhaupt nicht: _____

Was ich später gerne werden möchte: _____

Mein schönstes Erlebnis: _____

_____

Zum Glück fressen Sorgenfresser auch Peinliche-
Momente-Sorgen, denn mein doofstes Erlebnis war:

_____

Ich wünsche dir für die Zukunft: _____

Hier noch eine Zeichnung für dich:

MEINE ADRESSE: ....

....

....

TELEFON: ....

HANDY: ....

E-MAIL: ....

AUSGEFÜLLT AM

FÜR DICH

MEIN NAME: ....

MEIN SPITZNAME: ....

MEIN GEBURTSTAG: ....

MEIN STERNZEICHEN: ....

MEINE HAARFARBE: ....

MEINE AUGENFARBE: ....

BIFF

ICH ♥ SORGEN

Meine Hobbys: --

Mein liebster Gute-Laune-Song: --

Ich lese am liebsten: --

Ich esse am liebsten: --

Mein Lieblingssport: --

Meine Lieblingstiere: --

Das finde ich total cool: --

Das mag ich überhaupt nicht: --

Was ich später gerne werden möchte: --

Mein schönstes Erlebnis: --

Zum Glück fressen Sorgenfresser auch Peinliche-
Momente-Sorgen, denn mein doofstes Erlebnis war:

Ich wünsche dir für die Zukunft: ----------------------------------

Hier noch eine Zeichnung für dich:

MEINE ADRESSE: ....

....

....

TELEFON: ....

HANDY: ....

E-MAIL: ....

AUSGEFÜLLT AM
AUSGEFÜLLT AM

MEIN NAME: ....

MEIN SPITZNAME: ....

MEIN GEBURTSTAG: ....

MEIN STERNZEICHEN: ....

MEINE HAARFARBE: ....

MEINE AUGENFARBE: ....

GERD HAHNS
SORGEN
FRESSER

BETTI

Bitte ein Bild einkleben

Meine Hobbys: ----------------------------------

Mein liebster Gute-Laune-Song: ------------------

Ich lese am liebsten: -----------------------------

Ich esse am liebsten: -----------------------------

Mein Lieblingssport: ------------------------------

Meine Lieblingstiere: -----------------------------

Das finde ich total cool: --------------------------

Das mag ich überhaupt nicht: ----------------------

Was ich später gerne werden möchte: ---------------

Mein schönstes Erlebnis: _____

_____

Zum Glück fressen Sorgenfresser auch Peinliche-
Momente-Sorgen, denn mein doofstes Erlebnis war:

_____

Ich wünsche dir für die Zukunft: _____

Hier noch eine Zeichnung für dich:

MEINE ADRESSE: ....

....

....

TELEFON: ....

HANDY: ....

E-MAIL: ....

Für dich

AUSGEFÜLLT AM

AUSGEFÜLLT AM

MEIN NAME: ....

MEIN SPITZNAME: ....

MEIN GEBURTSTAG: ....

MEIN STERNZEICHEN: ....

MEINE HAARFARBE: ....

MEINE AUGENFARBE: ....

ENNO

Bitte ein Bild einkleben

Meine Hobbys: --

Mein liebster Gute-Laune-Song: ----------------------

Ich lese am liebsten: -------------------------------

Ich esse am liebsten: -------------------------------

Mein lieblingssport: --------------------------------

Meine Lieblingstiere: -------------------------------

Das finde ich total cool: ---------------------------

Das mag ich überhaupt nicht: ------------------------

Was ich später gerne werden möchte: ----------------

Mein schönstes Erlebnis: --

Zum Glück fressen Sorgenfresser auch Peinliche-

Momente-Sorgen, denn mein doofstes Erlebnis war:

Ich wünsche dir für die Zukunft: -------------------------------

Hier noch eine Zeichnung für dich:

MEINE ADRESSE: ....

....

....

TELEFON: ....

HANDY: ....

E-MAIL: ....

AUSGEFÜLLT AM
AUSGEFÜLLT AM

FÜR DICH

MEIN NAME: ....

MEIN SPITZNAME: ....

MEIN GEBURTSTAG: ....

MEIN STERNZEICHEN: ....

MEINE HAARFARBE: ....

MEINE AUGENFARBE: ....

SEPP

Meine Hobbys: _____

Mein liebster Gute-Laune-Song: _____

Ich lese am liebsten: _____

Ich esse am liebsten: _____

Mein Lieblingssport: _____

Meine Lieblingstiere: _____

Das finde ich total cool: _____

Das mag ich überhaupt nicht: _____

Was ich später gerne werden möchte: _____

Mein schönstes Erlebnis: ------------------------------------

----

Zum Glück fressen Sorgenfresser auch Peinliche-
Momente-Sorgen, denn mein doofstes Erlebnis war:

Ich wünsche dir für die Zukunft: ------------------------

Hier noch eine Zeichnung für dich:

MEINE ADRESSE: ....

....

....

TELEFON: ....

HANDY: ....

E-MAIL: ....

AUSGEFÜLLT AM

FÜR DICH

MEIN NAME: ....

MEIN SPITZNAME: ....

MEIN GEBURTSTAG: ....

MEIN STERNZEICHEN: ....

MEINE HAARFARBE: ....

MEINE AUGENFARBE: ....

Bitte ein Bild einkleben

FRULA

Meine Hobbys: _____

Mein liebster Gute-Laune-Song: _____

Ich lese am liebsten: _____

Ich esse am liebsten: _____

Mein Lieblingssport: _____

Meine Lieblingstiere: _____

Das finde ich total cool: _____

Das mag ich überhaupt nicht: _____

Was ich später gerne werden möchte: _____

Mein schönstes Erlebnis: --

Zum Glück fressen Sorgenfresser auch Peinliche-
Momente-Sorgen, denn mein doofstes Erlebnis war:

Ich wünsche dir für die Zukunft: --------------------------------------

Hier noch eine Zeichnung für dich:

MEINE ADRESSE: ....

....

....

TELEFON: ....

HANDY: ....

E-MAIL: ....

AUSGEFÜLLT AM
AUSGEFÜLLT AM

FLINT

MEIN NAME: ....

MEIN SPITZNAME: ....

MEIN GEBURTSTAG: ....

MEIN STERNZEICHEN: ....

MEINE HAARFARBE: ....

MEINE AUGENFARBE: ....

Bitte ein Bild einkleben

FLINT

Meine Hobbys: _____

Mein liebster Gute-Laune-Song: _____

Ich lese am liebsten: _____

Ich esse am liebsten: _____

Mein Lieblingssport: _____

Meine Lieblingstiere: _____

Das finde ich total cool: _____

Das mag ich überhaupt nicht: _____

Was ich später gerne werden möchte: _____

Mein schönstes Erlebnis: _____

_____

Zum Glück fressen Sorgenfresser auch Peinliche-
Momente-Sorgen, denn mein doofstes Erlebnis war:

_____

Ich wünsche dir für die Zukunft: _____

Hier noch eine Zeichnung für dich:

MEINE ADRESSE: ....

....

....

TELEFON: ....

HANDY: ....

E-MAIL: ....

AUSGEFÜLLT AM

MEIN NAME: ....

MEIN SPITZNAME: ....

MEIN GEBURTSTAG: ....

MEIN STERNZEICHEN: ....

MEINE HAARFARBE: ....

MEINE AUGENFARBE: ....

SCHNULLI

Bitte ein Bild einkleben

Meine Hobbys: _____

Mein liebster Gute-Laune-Song: _____

Ich lese am liebsten: _____

Ich esse am liebsten: _____

Mein Lieblingssport: _____

Meine Lieblingstiere: _____

Das finde ich total cool: _____

Das mag ich überhaupt nicht: _____

Was ich später gerne werden möchte: _____

Mein schönstes Erlebnis: _____

_____

Zum Glück fressen Sorgenfresser auch Peinliche-Momente-Sorgen, denn mein doofstes Erlebnis war:

_____

Ich wünsche dir für die Zukunft: _____

Hier noch eine Zeichnung für dich:

MEINE ADRESSE: ....

....

....

TELEFON: ....

HANDY: ....

E-MAIL: ....

AUSGEFÜLLT AM

FÜR DICH

MEIN NAME: ....

MEIN SPITZNAME: ....

MEIN GEBURTSTAG: ....

MEIN STERNZEICHEN: ....

MEINE HAARFARBE: ....

MEINE AUGENFARBE: ....

SACCO

Bitte ein Bild einkleben

Meine Hobbys: --

Mein liebster Gute-Laune-Song: ------------------------------

Ich lese am liebsten: --

Ich esse am liebsten: --

Mein Lieblingssport: ---

Meine Lieblingstiere: --

Das finde ich total cool: --------------------------------------

Das mag ich überhaupt nicht: --------------------------------

Was ich später gerne werden möchte: ------------------------

Mein schönstes Erlebnis: _____

_____

Zum Glück fressen Sorgenfresser auch Peinliche-
Momente-Sorgen, denn mein doofstes Erlebnis war:

_____

Ich wünsche dir für die Zukunft: _____

Hier noch eine Zeichnung für dich:

MEINE ADRESSE: ....

....

....

TELEFON: ....

HANDY: ....

E-MAIL: ....

AUSGEFÜLLT AM

FÜR DICH

MEIN NAME: ....

MEIN SPITZNAME: ....

MEIN GEBURTSTAG: ....

MEIN STERNZEICHEN: ....

MEINE HAARFARBE: ....

MEINE AUGENFARBE: ....

Bitte ein Bild einkleben

ERNST

Meine Hobbys: --

Mein liebster Gute-Laune-Song: ----------------------------

Ich lese am liebsten: --------------------------------------

Ich esse am liebsten: --------------------------------------

Mein Lieblingssport: ---------------------------------------

Meine Lieblingstiere: --------------------------------------

Das finde ich total cool: ----------------------------------

Das mag ich überhaupt nicht: ------------------------------

Was ich später gerne werden möchte: ----------------------

Mein schönstes Erlebnis: _____

_____

Zum Glück fressen Sorgenfresser auch Peinliche-Momente-Sorgen, denn mein doofstes Erlebnis war:

_____

Ich wünsche dir für die Zukunft: _____

Hier noch eine Zeichnung für dich:

MEINE ADRESSE: ....

....

....

TELEFON: ....

HANDY: ....

E-MAIL: ....

AUSGEFÜLLT AM

FÜR DICH

MEIN NAME: ....

MEIN SPITZNAME: ....

MEIN GEBURTSTAG: ....

MEIN STERNZEICHEN: ....

MEINE HAARFARBE: ....

MEINE AUGENFARBE: ....

Bitte ein Bild einkleben

Meine Hobbys: ---

Mein liebster Gute-Laune-Song: ---------------------------

Ich lese am liebsten: ------------------------------------

Ich esse am liebsten: ------------------------------------

Mein Lieblingssport: -------------------------------------

Meine Lieblingstiere: ------------------------------------

Das finde ich total cool: ---------------------------------

Das mag ich überhaupt nicht: ------------------------------

Was ich später gerne werden möchte: -----------------------

Mein schönstes Erlebnis: _____

_____

Zum Glück fressen Sorgenfresser auch Peinliche-
Momente-Sorgen, denn mein doofstes Erlebnis war:

_____

Ich wünsche dir für die Zukunft: _____

Hier noch eine Zeichnung für dich:

MEINE ADRESSE ....

....

....

TELEFON ....

HANDY ....

E-MAIL ....

MEIN NAME: ....

MEIN SPITZNAME: ....

MEIN GEBURTSTAG: ....

MEIN STERNZEICHEN: ....

MEINE HAARFARBE: ....

MEINE AUGENFARBE: ....

BILL

Bitte ein Bild einkleben

Meine Hobbys: ....

Mein liebster Gute-Laune-Song: ....

Ich lese am liebsten: ....

Ich esse am liebsten: ....

Mein Lieblingssport: ....

Meine Lieblingstiere: ....

Das finde ich total cool: ....

Das mag ich überhaupt nicht: ....

Was ich später gerne werden möchte: ....

Mein schönstes Erlebnis: _____

_____

Zum Glück fressen Sorgenfresser auch Peinliche-
Momente-Sorgen, denn mein doofstes Erlebnis war:

_____

Ich wünsche dir für die Zukunft: _____

Hier noch eine Zeichnung für dich:

MEINE ADRESSE: ....

....

....

TELEFON: ....

HANDY: ....

E-MAIL: ....

AUSGEFÜLLT AM
AUSGEFÜLLT AM

FÜR DICH

MEIN NAME: ....

MEIN SPITZNAME: ....

MEIN GEBURTSTAG: ....

MEIN STERNZEICHEN: ....

MEINE HAARFARBE: ....

MEINE AUGENFARBE: ....

Bitte ein Bild einkleben

Meine Hobbys: _____

Mein liebster Gute-Laune-Song: _____

Ich lese am liebsten: _____

Ich esse am liebsten: _____

Mein Lieblingssport: _____

Meine Lieblingstiere: _____

Das finde ich total cool: _____

Das mag ich überhaupt nicht: _____

Was ich später gerne werden möchte: _____

Mein schönstes Erlebnis: ---------------------------------

Zum Glück fressen Sorgenfresser auch Peinliche-Momente-Sorgen, denn mein doofstes Erlebnis war:

Ich wünsche dir für die Zukunft: ---------------------------

Hier noch eine Zeichnung für dich:

MEINE ADRESSE: ....

....

....

TELEFON: ....

HANDY: ....

E-MAIL: ....

AUSGEFÜLLT AM
AUSGEFÜLLT AM

MEIN NAME: ....

MEIN SPITZNAME: ....

MEIN GEBURTSTAG: ....

MEIN STERNZEICHEN: ....

MEINE HAARFARBE: ....

MEINE AUGENFARBE: ....

SORGEN FRESSER

Bitte ein Bild einkleben

OM

Meine Hobbys: ....

Mein liebster Gute-Laune-Song: ....

Ich lese am liebsten: ....

Ich esse am liebsten: ....

Mein Lieblingssport: ....

Meine Lieblingstiere: ....

Das finde ich total cool: ....

Das mag ich überhaupt nicht: ....

Was ich später gerne werden möchte: ....

Mein schönstes Erlebnis: --

Zum Glück fressen Sorgenfresser auch Peinliche-
Momente-Sorgen, denn mein doofstes Erlebnis war:

Ich wünsche dir für die Zukunft: --

Hier noch eine Zeichnung für dich:

MEINE ADRESSE: ....

....

....

TELEFON: ....

HANDY: ....

E-MAIL: ....

AUSGEFÜLLT AM
AUSGEFÜLLT AM

MEIN NAME: ....

MEIN SPITZNAME: ....

MEIN GEBURTSTAG: ....

MEIN STERNZEICHEN: ....

MEINE HAARFARBE: ....

MEINE AUGENFARBE: ....

RUMPEL

Meine Hobbys: ---

Mein liebster Gute-Laune-Song: ------------------------

Ich lese am liebsten: ---------------------------------

Ich esse am liebsten: ---------------------------------

Mein Lieblingssport: ----------------------------------

Meine Lieblingstiere: ---------------------------------

Das finde ich total cool: -----------------------------

Das mag ich überhaupt nicht: --------------------------

Was ich später gerne werden möchte: ------------------

Mein schönstes Erlebnis: _____

_____

Zum Glück fressen Sorgenfresser auch Peinliche-
Momente-Sorgen, denn mein doofstes Erlebnis war:

_____

Ich wünsche dir für die Zukunft: _____

Hier noch eine Zeichnung für dich:

MEINE ADRESSE: ....

....

....

TELEFON: ....

HANDY: ....

E-MAIL: ....

AUSGEFÜLLT AM
AUSGEFÜLLT AM

MEIN NAME: ....

MEIN SPITZNAME: ....

MEIN GEBURTSTAG: ....

MEIN STERNZEICHEN: ....

MEINE HAARFARBE: ....

MEINE AUGENFARBE: ....

GUMP

Meine Hobbys: ---

Mein liebster Gute-Laune-Song: ----------------------------------

Ich lese am liebsten: ---

Ich esse am liebsten: ---

Mein Lieblingssport: --

Meine Lieblingstiere: ---

Das finde ich total cool: --

Das mag ich überhaupt nicht: --------------------------------------

Was ich später gerne werden möchte: ----------------------------

Mein schönstes Erlebnis: _____

_____

Zum Glück fressen Sorgenfresser auch Peinliche-Momente-Sorgen, denn mein doofstes Erlebnis war:

_____

Ich wünsche dir für die Zukunft: _____

Hier noch eine Zeichnung für dich:

MEINE ADRESSE: ....

....

....

TELEFON: ....

HANDY: ....

E-MAIL: ....

AUSGEFÜLLT AM

AUSGEFÜLLT AM

MEIN NAME: ....

MEIN SPITZNAME: ....

MEIN GEBURTSTAG: ....

MEIN STERNZEICHEN: ....

MEINE HAARFARBE: ....

MEINE AUGENFARBE: ....

Bitte ein Bild einkleben

BIFF

ICH ♥ SORGEN

Meine Hobbys: ---

Mein liebster Gute-Laune-Song: --------------------------------

Ich lese am liebsten: ---

Ich esse am liebsten: ---

Mein Lieblingssport: ---

Meine Lieblingstiere: ---

Das finde ich total cool: --

Das mag ich überhaupt nicht: -----------------------------------

Was ich später gerne werden möchte: ---------------------------

Mein schönstes Erlebnis: ----------------------------------

Zum Glück fressen Sorgenfresser auch Peinliche-
Momente-Sorgen, denn mein doofstes Erlebnis war:

Ich wünsche dir für die Zukunft: --------------------------

Hier noch eine Zeichnung für dich:

MEINE ADRESSE: ....

....

....

TELEFON: ....

HANDY: ....

E-MAIL: ....

AUSGEFÜLLT AM
AUSGEFÜLLT AM

MEIN NAME: ....

MEIN SPITZNAME: ....

MEIN GEBURTSTAG: ....

MEIN STERNZEICHEN: ....

MEINE HAARFARBE: ....

MEINE AUGENFARBE: ....

Bitte ein Bild einkleben

BETTI

Meine Hobbys: ------------------------------------

Mein liebster Gute-Laune-Song: ---------------------

Ich lese am liebsten: ------------------------------

Ich esse am liebsten: ------------------------------

Mein Lieblingssport: -------------------------------

Meine Lieblingstiere: ------------------------------

Das finde ich total cool: ---------------------------

Das mag ich überhaupt nicht: -----------------------

Was ich später gerne werden möchte: ---------------

Mein schönstes Erlebnis: _____

_____

Zum Glück fressen Sorgenfresser auch Peinliche-
Momente-Sorgen, denn mein doofstes Erlebnis war:

_____

Ich wünsche dir für die Zukunft: _____

Hier noch eine Zeichnung für dich:

MEINE ADRESSE: ....

....

....

TELEFON: ....

HANDY: ....

E-MAIL: ....

AUSGEFÜLLT AM
AUSGEFÜLLT AM

MEIN NAME: ....

MEIN SPITZNAME: ....

MEIN GEBURTSTAG: ....

MEIN STERNZEICHEN: ....

MEINE HAARFARBE: ....

MEINE AUGENFARBE: ....

ENNO

Bitte ein Bild einkleben

Meine Hobbys: _____

Mein liebster Gute-Laune-Song: _____

Ich lese am liebsten: _____

Ich esse am liebsten: _____

Mein Lieblingssport: _____

Meine Lieblingstiere: _____

Das finde ich total cool: _____

Das mag ich überhaupt nicht: _____

Was ich später gerne werden möchte: _____

Mein schönstes Erlebnis: _____

_____

Zum Glück fressen Sorgenfresser auch Peinliche-
Momente-Sorgen, denn mein doofstes Erlebnis war:

_____

Ich wünsche dir für die Zukunft: _____

Hier noch eine Zeichnung für dich:

MEINE ADRESSE: ....

....

....

TELEFON: ....

HANDY: ....

E-MAIL: ....

AUSGEFÜLLT AM

FÜR DICH

MEIN NAME: ....

MEIN SPITZNAME: ....

MEIN GEBURTSTAG: ....

MEIN STERNZEICHEN: ....

MEINE HAARFARBE: ....

MEINE AUGENFARBE: ....

Meine Hobbys: --

Mein liebster Gute-Laune-Song: ------------------------

Ich lese am liebsten: ----------------------------------

Ich esse am liebsten: ----------------------------------

Mein Lieblingssport: -----------------------------------

Meine Lieblingstiere: ----------------------------------

Das finde ich total cool: ------------------------------

Das mag ich überhaupt nicht: --------------------------

Was ich später gerne werden möchte: -----------------

Mein schönstes Erlebnis: _____

_____

Zum Glück fressen Sorgenfresser auch Peinliche-
Momente-Sorgen, denn mein doofstes Erlebnis war:

_____

Ich wünsche dir für die Zukunft: _____

Hier noch eine Zeichnung für dich:

MEINE ADRESSE: ....

....

....

TELEFON: ....

HANDY: ....

E-MAIL: ....

FÜR DICH

AUSGEFÜLLT AM

AUSGEFÜLLT AM

MEIN NAME: ....

MEIN SPITZNAME: ....

MEIN GEBURTSTAG: ....

MEIN STERNZEICHEN: ....

MEINE HAARFARBE: ....

MEINE AUGENFARBE: ....

FRULA

Bitte ein Bild einkleben

Meine Hobbys: --

Mein liebster Gute-Laune-Song: ----------------------

Ich lese am liebsten: -------------------------------

Ich esse am liebsten: -------------------------------

Mein Lieblingssport: --------------------------------

Meine Lieblingstiere: -------------------------------

Das finde ich total cool: ---------------------------

Das mag ich überhaupt nicht: ------------------------

Was ich später gerne werden möchte: ----------------

Mein schönstes Erlebnis: _____

_____

Zum Glück fressen Sorgenfresser auch Peinliche-Momente-Sorgen, denn mein doofstes Erlebnis war:

_____

Ich wünsche dir für die Zukunft: _____

Hier noch eine Zeichnung für dich:

MEINE ADRESSE: ....

....

....

TELEFON: ....

HANDY: ....

E-MAIL: ....

AUSGEFÜLLT AM

MEIN NAME: ....

MEIN SPITZNAME: ....

MEIN GEBURTSTAG: ....

MEIN STERNZEICHEN: ....

MEINE HAARFARBE: ....

MEINE AUGENFARBE: ....

Bitte ein Bild einkleben

FLINT

Meine Hobbys: --------------------------------------

Mein liebster Gute-Laune-Song: ------------------

Ich lese am liebsten: --------------------------------

Ich esse am liebsten: -------------------------------

Mein Lieblingssport: --------------------------------

Meine Lieblingstiere: -------------------------------

Das finde ich total cool: ---------------------------

Das mag ich überhaupt nicht: ----------------------

Was ich später gerne werden möchte: -------------

Mein schönstes Erlebnis: _____

_____

Zum Glück fressen Sorgenfresser auch Peinliche-
Momente-Sorgen, denn mein doofstes Erlebnis war:

_____

Ich wünsche dir für die Zukunft: _____

Hier noch eine Zeichnung für dich:

MEINE ADRESSE: ....

....

....

TELEFON: ....

HANDY: ....

E-MAIL: ....

AUSGEFÜLLT AM
AUSGEFÜLLT AM

MEIN NAME: ....

MEIN SPITZNAME: ....

MEIN GEBURTSTAG: ....

MEIN STERNZEICHEN: ....

MEINE HAARFARBE: ....

MEINE AUGENFARBE: ....

Bitte ein Bild einkleben

SCHNULLI

Meine Hobbys: --

Mein liebster Gute-Laune-Song: ----------------------

Ich lese am liebsten: ------------------------------

Ich esse am liebsten: ------------------------------

Mein Lieblingssport: -------------------------------

Meine Lieblingstiere: ------------------------------

Das finde ich total cool: --------------------------

Das mag ich überhaupt nicht: ------------------------

Was ich später gerne werden möchte: ----------------

Mein schönstes Erlebnis: _____

_____

Zum Glück fressen Sorgenfresser auch Peinliche-
Momente-Sorgen, denn mein doofstes Erlebnis war:

_____

Ich wünsche dir für die Zukunft: _____

Hier noch eine Zeichnung für dich:

MEINE ADRESSE: ....

....

....

TELEFON: ....

HANDY: ....

E-MAIL: ....

AUSGEFÜLLT AM

FÜR DICH

MEIN NAME: ....

MEIN SPITZNAME: ....

MEIN GEBURTSTAG: ....

MEIN STERNZEICHEN: ....

MEINE HAARFARBE: ....

MEINE AUGENFARBE: ....

SACCO

Bitte ein Bild einkleben

Meine Hobbys: ----------------------------

Mein liebster Gute-Laune-Song: -----------------

Ich lese am liebsten: -----------------------

Ich esse am liebsten: -----------------------

Mein Lieblingssport: ------------------------

Meine Lieblingstiere: -----------------------

Das finde ich total cool: --------------------

Das mag ich überhaupt nicht: -----------------

Was ich später gerne werden möchte: ----------

Mein schönstes Erlebnis: --

Zum Glück fressen Sorgenfresser auch Peinliche-
Momente-Sorgen, denn mein doofstes Erlebnis war:

Ich wünsche dir für die Zukunft: ----------------------------

Hier noch eine Zeichnung für dich:

MEINE ADRESSE: ....

....

....

TELEFON: ....

HANDY: ....

E-MAIL: ....

FÜR DICH

AUSGEFÜLLT AM
AUSGEFÜLLT AM

MEIN NAME: ....

MEIN SPITZNAME: ....

MEIN GEBURTSTAG: ....

MEIN STERNZEICHEN: ....

MEINE HAARFARBE: ....

MEINE AUGENFARBE: ....

Bitte ein Bild einkleben

ERNST

Meine Hobbys: ---

Mein liebster Gute-Laune-Song: -----------------------------

Ich lese am liebsten: ---

Ich esse am liebsten: ---

Mein Lieblingssport: --

Meine Lieblingstiere: ---

Das finde ich total cool: --------------------------------------

Das mag ich überhaupt nicht: --------------------------------

Was ich später gerne werden möchte: -----------------------

Mein schönstes Erlebnis: _____

_____

Zum Glück fressen Sorgenfresser auch Peinliche-
Momente-Sorgen, denn mein doofstes Erlebnis war:

_____

Ich wünsche dir für die Zukunft: _____

Hier noch eine Zeichnung für dich:

MEINE ADRESSE: ....

....

....

TELEFON: ....

HANDY: ....

E-MAIL: ....

AUSGEFÜLLT AM

AUSGEFÜLLT AM

FÜR DICH

MEIN NAME: ....

MEIN SPITZNAME: ....

MEIN GEBURTSTAG: ....

MEIN STERNZEICHEN: ....

MEINE HAARFARBE: ....

MEINE AUGENFARBE: ....

Meine Hobbys: ------------------------------------

Mein liebster Gute-Laune-Song: ------------------

Ich lese am liebsten: ----------------------------

Ich esse am liebsten: ----------------------------

Mein Lieblingssport: -----------------------------

Meine Lieblingstiere: ----------------------------

Das finde ich total cool: ------------------------

Das mag ich überhaupt nicht: ---------------------

Was ich später gerne werden möchte: --------------

Mein schönstes Erlebnis: --------------------------------------

----

Zum Glück fressen Sorgenfresser auch Peinliche-
Momente-Sorgen, denn mein doofstes Erlebnis war:

Ich wünsche dir für die Zukunft: --------------------------------------

Hier noch eine Zeichnung für dich:

MEINE ADRESSE ....

....

....

TELEFON ....

HANDY ....

E-MAIL ....

MEIN NAME: ....

MEIN SPITZNAME: ....

MEIN GEBURTSTAG: ....

MEIN STERNZEICHEN: ....

MEINE HAARFARBE: ....

MEINE AUGENFARBE: ....

Bitte ein Bild einkleben

BILL

Meine Hobbys: _____

Mein liebster Gute-Laune-Song: _____

Ich lese am liebsten: _____

Ich esse am liebsten: _____

Mein Lieblingssport: _____

Meine Lieblingstiere: _____

Das finde ich total cool: _____

Das mag ich überhaupt nicht: _____

Was ich später gerne werden möchte: _____

Mein schönstes Erlebnis: _____

_____

Zum Glück fressen Sorgenfresser auch Peinliche-
Momente-Sorgen, denn mein doofstes Erlebnis war:

_____

Ich wünsche dir für die Zukunft: _____

Hier noch eine Zeichnung für dich:

MEINE ADRESSE: ....

....

....

TELEFON: ....

HANDY: ....

E-MAIL: ....

AUSGEFÜLLT AM

FÜR DICH

MEIN NAME: ....

MEIN SPITZNAME: ....

MEIN GEBURTSTAG: ....

MEIN STERNZEICHEN: ....

MEINE HAARFARBE: ....

MEINE AUGENFARBE: ....

Bitte ein Bild einkleben

Meine Hobbys: ....

Mein liebster Gute-Laune-Song: ....

Ich lese am liebsten: ....

Ich esse am liebsten: ....

Mein Lieblingssport: ....

Meine Lieblingstiere: ....

Das finde ich total cool: ....

Das mag ich überhaupt nicht: ....

Was ich später gerne werden möchte: ....

Mein schönstes Erlebnis: _____

_____

Zum Glück fressen Sorgenfresser auch Peinliche-
Momente-Sorgen, denn mein doofstes Erlebnis war:

_____

Ich wünsche dir für die Zukunft: _____

Hier noch eine Zeichnung für dich:

MEINE ADRESSE: ....

....

....

TELEFON: ....

HANDY: ....

E-MAIL: ....

Für dich

AUSGEFÜLLT AM
AUSGEFÜLLT AM

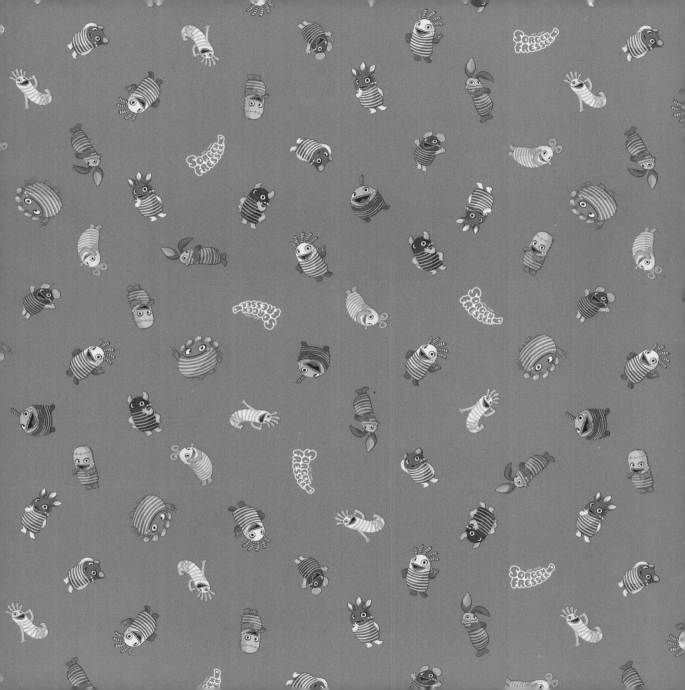